La Belle au bois dormant

Pour Annie et Margaret —M. M. K.

Publié par Presses Aventure, une division de
LES PUBLICATIONS MODUS VIVENDI INC.
55, rue Jean-Talon Ouest, 2e étage
Montréal, Québec H2R 2W8, CANADA
www.groupemodus.com

Publié pour la première fois en 2014 par Random House sous le titre original
Sleeping Beauty.

Éditeur : Marc Alain
Traductrice : Emie Vallée

Dépôt légal : Bibliothèque et Archives nationales du Québec, 2015
Dépôt légal : Bibliothèque et Archives Canada, 2015

ISBN : 978-2-89751-010-7

Nous reconnaissons l'aide financière du gouvernement du Canada par l'entremise
du Fonds du livre du Canada pour nos activités d'édition.

Gouvernement du Québec – programme de crédit d'impôt pour l'édition de livres –
Gestion Sodec.

Imprimé en Chine

Adapté par Mary Man-Kong
Illustré par les artistes de Disney Storybook

Jadis, un roi et une reine
eurent une petite fille.
Ils la nommèrent Aurore.

Le royaume
fêta la nouvelle
princesse. Les trois
bonnes fées aussi.

Flora lui fit le don de la beauté.

Pâquerette, lui offrit le don du chant.

La sorcière Maléfique
fit son entrée à la fête.
Elle lança une malédiction:
«Quand Aurore célébrera
ses seize ans, elle se
piquera le doigt à un
fuseau et mourra.»

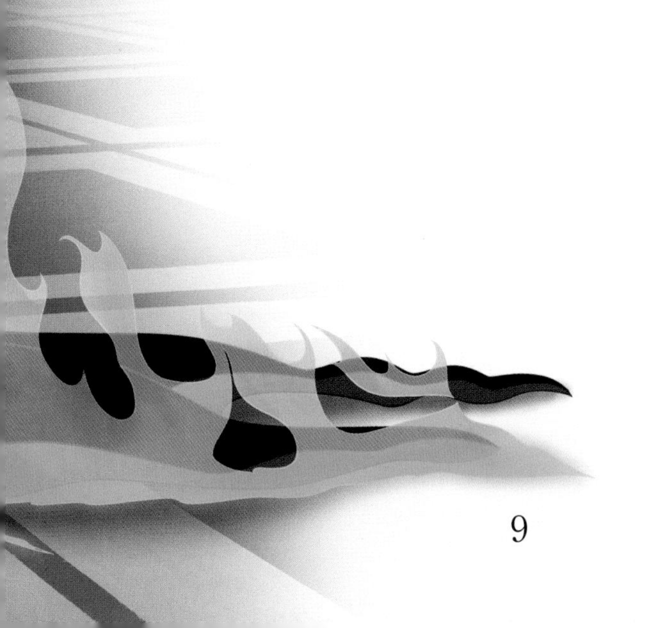

Par bonheur, Pimprenelle, la troisième fée, n’avait pas encore fait son vœu.

Elle modifia la malédiction de Maléfique : « Lorsqu'elle se piquera le doigt, Aurore s'endormira. Seul un baiser d'amour sincère pourra la réveiller. »

Les années passèrent. Les fées gardaient la princesse loin du royaume, à l'abri de Maléfique. La jeune fille ignorait qu'elle était en fait une princesse.

Le jour de son
seizième anniversaire,
les fées lui organisèrent
une fête en secret.

Elles la chargèrent
de cueillir des baies.

La jolie demoiselle rencontra le jeune Philippe. Ils tombèrent amoureux !

Pendant ce temps, les fées utilisaient la magie pour préparer la fête.

Voyant les étincelles magiques, l'oiseau de Maléfique avertit sa maîtresse. Il lui confia avoir trouvé les fées et la princesse.

À son retour,
la protégée des fées apprécia
ses surprises. Elle avoua
même être amoureuse.

Les fées lui révélèrent
sa véritable identité. Aurore
devait retourner au château
et épouser le prince.

Aurore était triste.

Elle voulait tellement revoir Philippe !

Au château, Maléfique lança une sphère lumineuse magique. Aurore la suivit.

La princesse aperçut
un rouet et un fuseau.
« Touche le fuseau ! »
ordonna Maléfique.

Aurore obéit. Elle se piqua le doigt et sombra dans un profond sommeil. Maléfique disparut.

Les trois fées trouvèrent
Aurore et l'emmenèrent
dans la tour. De là-haut,
elles jetèrent un sort.

« Tout le royaume dormira jusqu'à ce que le grand amour d'Aurore la réveille d'un baiser. »

Sachant l'amour de Philippe
pour Aurore, les fées
lui donnèrent une
épée enchantée.

Alors que Maléfique se transformait en dragon, Philippe lui lança l'épée. La sorcière disparut aussitôt à jamais.

En vérité, Philippe était un prince. Il accourut embrasser sa belle.

Aurore s'éveilla. Tout le royaume s'éveilla. Le roi et la reine devinrent fous de joie!

Aurore et Philippe dansèrent très longtemps. Puis, ils vécurent heureux avec les leurs pour toujours !